D1106265

PRÉSENTATION DES ÉVÉNEMENTS ET DES PERSONNAGES

GON

Personnage principal de l'histoire. À la recherche de son père, il marche sur ses traces et devient hunter.

RÉSUMÉ DES ÉPISODES PRÉCÉDENTS

...n Freecss, le valeureux hunter... C'est pour ...encontrer ce père qu'il n'a jamais vu que Gon ...écide de devenir hunter. Il passe avec succès ...outes les épreuves du très difficile examen et ...arvient finalement à devenir hunter. Ensuite, ...ccompagné de Kirua, il fait l'acquisition de ...reed Island et commence à jouer. En cours ...e partie, ils font la connaissance de Biscuit, ...vec laquelle ils apprennent le "nen" tout en ...rogressant dans le jeu. Gon parvient à termi-...er le jeu mais n'obtient malheureusement que ...eu d'indices sur son père. Il retrouve Kaito et, ...fin de vérifier l'existence des Kimeras Ants, ...ntre dans NGL. Nos héros se retrouvent ...ors dans des conditions bien pires que ce ...'ils avaient imaginé. Face à Neferupitô, ter-...ble adversaire, Kirua emmène Gon de force ... ils en réchappent. Mais Kaito est resté. ...s deux amis veulent retourner à NGL mais ...étéro leur impose une condition : s'emparer ...s plaquettes de Knuckle et Shoot. Le com-...t se poursuit mais...?!

KIRUA

L'ami de Gon.
Il l'accompagne dans son
voyage pour lui aussi
trouver ce qu'il souhaite
faire plus tard.

KAITO

L'un des hunters attach[...]
à Jin. Il perd la vie en
essayant de protéger
Gon et Kirua...

LE PRÉSIDENT NÉTÉRO

Président du comité des hunters.
Il se rend à NGL en tant que membre
d'un corps expéditionnaire lancé à
la recherche d'une espèce vivante
isolée et dangereuse.

NEFERUPITO

Un membre de la garde
rapprochée de la reine.
Possède une force terrible et
dégage une aura incroyable.

LA REINE

Elle continue de se nourrir
pour pondre. Reine des
Kimeras Ants, elle doit
donner naissance à une
nouvelle génération
encore plus forte.

HUNTER × HUNTER

ハンター ハンター

SOMMAIRE

ELLES FLOTTENT DANS LES AIRS !?

COMMENT EST-CE POSSIBLE ?!

MAIS ENFIN ?!

IL Y A... TROIS MAINS ?!

DOIS-JE PRÉPARER QUELQUE CHOSE AUSSI...?!

SERS-TOI DE TON "GYÔ" POUR VOIR CE QU'IL EN EST !

DU CALME.

QUELLE FACULTÉ POSSÈDE-T-IL DONC ?!

!!

N°212 - RUPTURE AMNIOTIC

IL UTILISERAIT UN NEN DE MANIPULATION !!!

AUTREMENT DIT...

IL N'UTILISE PAS SON "IN"...! IL Y A RÉELLEMENT TROIS MAINS QUI FLOTTENT DANS LES AIRS !

TAC

QUELLE
ADRESSE
IN-
CROYABLE !

IL EST RAPIDE !!!

L'ÉLEC-
TRICITÉ
!!!

IMPOSSIBLE...

JE RECULERAIS ENCORE COMME AVANT...!!

FAIS UN SAUT VERS L'ARRIÈRE...

LES MAINS N'ÉTAIENT QU'UN LEURRE ?!

14

N°213 – NAISSANCE

CRÍÍÍ

N°213 - NAISSANCE

APPORTEZ-MOI
À MANGER.

J'AI
FAIM.

LES
ENTRAILLES
DE LA REINE
SONT TRÈS
TOUCHÉES
!!!

NON
!!

tic tic

ドン… ドン…

TOi !!

スー!

SA

ESSUiE.

SHUU

スー…

UNE CHANCE, J'Ai JUSTEMENT UN MOUCHOIR SUR MOi.

HO ! HO ! HO ! EH BiEN...

27

COM-
MENÇONS
PAR
STOPPER
L'HÉMOR-
RAGIE !!

SA
MAJESTE
LA
REINE !!

PAS
BON DU
TOUT.

PAS
BON.

ALORS ?
COMMENT
EST SON
ÉTAT ?

SI L'ON
NE FAIT
RIEN...

PLUSIEURS
PARTIES DES
ENTRAILLES ONT
ÉTÉ ÉCRASÉES
ET SONT
IMPOSSIBLES À
SOIGNER PAR
DES MOYENS
CLASSIQUES...

MAÎTRE
NEFERUPITO
!!!

FAITES USAGE DE CETTE FORCE QUI VOUS A PERMIS DE RÉPARER L'AUTRE HOMME !!

NOUS AURIONS BESOIN DE VOTRE AIDE !!

LA VIE DE LA REINE EST EN DANGER...!

LA GARDE RAPPROCHÉE N'A DONC PLUS RIEN À FAIRE AVEC LA REINE.

LE ROI EST NÉ.

C'EST PARCE QU'IL M'ÉTAIT ENCORE UTILE.

Si J'AI FAIT ÇA SUR LUI...

BESOIN D'ELLE.

NOUS N'AVONS PLUS...

NON.

ÇA N'A PRESQUE PAS DE GOÛT.

VOUS N'AIMEZ PAS ?

CE N'EST PAS LE PROBLÈME.

piut

NON.

ité goût A

C'EST NORMAL, NOUS N'AVONS MIS AUCUNE SAUCE.

OUI. C'ÉTAIT UNE NOURRITURE RARE, EN EFFET.

QUAND J'ÉTAIS DANS LE VENTRE DE L'AUTRE FEMME, JE RECEVAIS UNE NOURRITURE TRÈS DENSE ET FORTE EN GOÛT.

ENTENDU.

C'EST ÇA QUE JE VEUX.

JE RESSENTAIS UNE INDESCRIPTIBLE SATISFACTION.

BIEN.

NOURRISSEZ-MOI.

ELLE N'A PLUS LA FORCE DE DONNER LA VIE...!!

SAUVEZ NOTRE REINE.

À UNE CON-DITION...

NOU... NOU... REN-DONS...

EST DÉJÀ NÉ.

LE ROI...

C'EST UN...

MAIS C'EST TROP TÔT !

QUOI?!

DÉMONS...!!

CE SONT DES...

N°214 - DÉNOUEME

AH BON ?

LE MEILLEUR MORCEAU CHEZ LES HUMAINS, C'EST LE CERVEAU.

PAR CONSÉQUENT, JE VOUS RECOMMANDE DE LES TUER SANS TOUCHER LA TÊTE.

NON...

PAPA... MAMAN...

NOOOON !!

BRAVO !!

CLAP CLAP

JE VOIS.

N'EST PAS UVAIS.

EN EFFET.

SI LA REINE MEURT, LES LIENS QUI EXISTENT ENTRE LES CHEFS DE GROUPE VONT DISPARAITRE ET IL DEVIENDRA IMPOSSIBLE DE LES RASSEMBLER.

JE VOUS EN PRIE....!! LE TEMPS PRESSE !

ET SI LA NOTION D'UNITÉ DISPARAIT, IL EST PROBABLE QU'IL Y AIT ÉGALEMENT QUELQUES CHEFS DE GROUPE.

ILS VONT S'INSTALLER PARTOUT DANS LE MONDE ET MENACER TOUTES LES ESPÈCES VIVANTES.

IL Y EN AURA AU MOINS 4 OU 5 PARMI LES CHEFS DE DIVISION.

CONCRÈTEMENT, QUELLE EST LA SITUATION ?

ET CONSTRUIRE UN ROYAUME LUI-MÊME, À SA MANIÈRE.

IL EST PROBABLE QUE CHACUN VEUILLE DEVENIR ROI...

SI ELLES S'ACCOUPLENT DE FORCE AVEC UN ÊTRE DU SEXE OPPOSÉ, ELLES PEUVENT ENGENDRER UNE NOUVELLE GÉNÉRATION.

OUI.

EST-CE QUE LES FOURMIS GUERRIÈRES KIMERAS ANTS SONT DOTÉES D'ORGANES DE REPRODUCTION ?

ON PEUT SUPPOSER QU'IL NE NOUS MENT PAS.

ENFIN...

MAIS LORSQUE LA REINE MEURT, ON SAIT QU'ILS QUITTENT LE NID, SE DISPERSENT ET UTILISENT PLEINEMENT CETTE FACULTÉ DE REPRODUCTION.

DANS LES COLONIES NORMALES QUI S'ORGANISENT AUTOUR DE LA REINE, LES SOLDATS NE CHERCHENT PAS À SE REPRODUIRE ENTRE EUX MAIS...

KORUTO.

QUEL EST TON NOM ?

EH ! TOI !

RIEN NE GARANTIT QU'IL CROIE CE QUE TU VAS LUI DIRE.

MAIS ATTEN-TION...

ET TU VAS LUI RÉPÉTER TOUT CE QUE TU NOUS AS RACONTÉ.

NOUS ALLONS TE CONDUIRE JUSQU'À NOTRE BOSS.

KORUTO...

CELA TE CONVIENT QUAND MÊME ?

ET MÊME S'IL TE CROIT, IL N'Y A AUCUNE GARANTIE QU'IL ACCEPTE DE TE LAISSER LA VIE SAUVE.

JE VOUS EN PRIE ! LE PLUS TÔT SERA LE MIEUX !

BIEN SÛR !!!

J'AI PARIÉ 100 000 SUR KNUCKLE ET SHOOT...

AH... J'AVAIS OUBLIÉ.

C'EST AUJOUR-D'HUI QUE LES DISCIPLES NOUS REJOI-GNENT.

UN ÉVÉ-NEMENT N'ARRIVE JAMAIS SEUL.

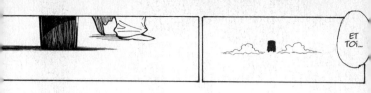

ET TOi...

TU AS DiT QU'iLS ViENDRAiENT TOUS LES CiNQ...

ZAT

KNUCKLE...

PROMETS-MOI QUE TU IRAS SAUVER KAITO !!

PROMETS-MOI...

JE LE JURE SUR CE WARIFU* !!!

JE LE RAMÈNERAI.

FAIS-MOI CONFIANCE.

* VOIR VOLUME PRÉCÉDENT.

KIRUA.

FAIBLE, HEIN ?

JE SUIS...

JE TE
PROTÉGERAI.

GON...
PENDANT LES
30 JOURS OÙ
TU NE POURRAS
PAS UTILISER
TON NEN...

QUELLES
QUE
SOIENT
LES
CIRCONS-
TANCES...

QUOI
QU'IL
ARRIVE.

JE
PARTIRAI.

ET
APRÈS
CELA...

PRÉVENEZ LE DOCTEUR LEE DU C.H.U. DE BONRIN ! QU'IL SE FASSE ACCOMPAGNER D'UN BON CHIRURGIEN ET D'UN SPÉCIALISTE DES ORGANES INTERNES.

LEUR ROI EST NÉ.

ENVOYEZ-NOUS TOUT DE SUITE L'ÉQUIPE QUI ÉTUDIE LES KIMERAS ANTS.

C'EST MOI.

ENTENDU.

NOUS PARTIRONS DANS QUATRE HEURES.

N°215 - TESTAMENT

KORUTO.

SLAP

NOUS ALLONS TE DEMANDER DE COOPÉRER.

NOUS ALLONS FAIRE TOUT CE QUE NOUS POUVONS.

55

C'EST PEUT-ÊTRE LA DERNIÈRE FOIS QUE JE PORTE ÇA...

BON.

LE T-SHIRT "KOKORO" *... !!

OUI.

MAIS C'EST...

JE PENSAIS QUE C'ÉTAIT JUSTE UNE RUMEUR MAIS...

IL NE LE PORTE QUE LORSQU'IL EST DÉCIDÉ À SE BATTRE POUR DE BON...!!

* CŒUR.

JE CROIS QUE TU SAIS TOI AUSSI TE SERVIR DU NEN, HEIN ?

KORUTO.

JE VOUDRAIS QUE TU ME DONNES TON AVIS, FRANCHEMENT.

TU AS VU LE ROI DE PRÈS, ALORS...

FIUUU

SUIS-JE PLUS FORT QUE LUI ?

QUE VOUS N'ATTEIGNIEZ MÊME PAS LE ROI.

IL EST PRO-BA-BLE ...

IL DÉGAGE UNE AURA TRÈS VIVE, PIQUANTE COMME UNE AIGUILLE.

TUÉ PAR UN MEMBRE DE SA GARDE RAPPROCHÉE.

VOUS SEREZ MORT AVANT.

VOILÀ QUI ME FAIT PLAISIR !

HO! HO! HO!

NOS HOMMES, PRESQUE TOUS AUSSI. ILS SE SONT ALLIÉS AVEC D'AUTRES GROUPES.

LES AUTRES SONT PARTIS.

FINALEMENT, TOUT S'EST PASSÉ SANS AFFRONTEMENT ET C'EST PEUT-ÊTRE MIEUX AINSI.

MAIS IL Y A ÉGALEMENT QUELQUES MEMBRES DE GROUPES UN PEU BIZARRES QUI SONT REVENUS ICI.

HI!! HI!! ZAT

QUOI QU'IL EN SOIT, NOUS ALLONS INSTALLER TOUT UN SYSTÈME D'ENTRAILLES ARTIFICIEL-LES.

ET NOUS ? QUE CROIS-TU ? IL NE FALLAIT PAS TROP ATTENDRE DE NOUS.

C'EST TOI QUI AS FAIT LES SUTURES POUR STOPPER L'HÉMOR-RAGIE ?

OUI.

JE N'AI PAS ASSEZ DE CONNAIS-SANCES POUR EN FAIRE DAVANTAGE.

VOUS POUVEZ AUSSI PRENDRE DU MON SANG, SI VOUS VOULEZ !

VOUS NE POUVEZ PAS VOUS SERVIR DES MIENNES ?

D'AILLEURS, MÊME POUR DES GÉNÉRATIONS IDENTIQUES, TU VOIS BIEN À QUEL POINT VOUS AVEZ ÉTÉ "CONÇUS" DIFFÉREMMENT.

MALHEU-REUSEMENT, VOS GÉNÉRATIONS NE SONT PAS COMPATIBLES.

PAR MIRACLE, TOUS LES ORGANES INTERNES FONCTION-NENT ENCORE.

NOUS ALLONS FAIRE TOUT CE QUE NOUS POUVONS. TU PEUX PRIER PENDANT CE TEMPS.

MAIS TA PROPO-SITION EST GÉNÉ-REUSE.

...

C'EST TOUT CE QUE JE PEUX FAIRE...?!

C'EST TOUT...?

IL FAUT DIRE AU ROI DE PARTIR D'ICI !!

NON !!

MON FILS PORTE EN LUI LA FORCE NÉCESSAIRE POUR DIRIGER LE MONDE.

IL N'A PAS DE TEMPS À PERDRE À S'OCCUPER DE MOI !

OUI !

ALORS JE TE REPOSE LA QUESTION : EST-IL SAIN ET SAUF ?!

J'AI DONC PU ACCOMPLIR MA MISSION ICI...!

IL EST NÉ PRÉMATURÉMENT... ALORS JE M'INQUIÉTAIS.

TANT MIEUX...

MAIS QUE DITES-VOUS, ENFIN ?!

LE RESTE N'A PLUS D'IMPORTANCE...

SANS VOUS, NOUS SOMMES PERDUS !!

MAJESTE, VOUS ÊTES NOTRE GUIDE À TOUS !!

ARRÊTEZ ! JE VOUS EN PRIE !

MAIS JE N'AI AUCUN REGRET.

JE N'EN AI PLUS POUR LONG-TEMPS.

JE S LA MIE PLACÉE P SAVOIR QUI M'A C'EST N COR

VOUS DEVEZ AU MOINS ESSAYER !

PRENEZ MON CORPS !

J'AI... POUR TERMINER, J'AI UNE FAVEUR À TE DEMAN-DER.

EST D'ÉCOUTER JUSQU'AU BOUT CE QUE LA REINE VEUT VOUS DIRE.

MERUEMU... CELA SIGNIFIE : "LA LUMIÈRE QUI ÉCLAIRE TOUT"...

UN NOM... J'AI RÉFLÉCHI À UN NOM POUR MON FILS...

FILS...

TRÈS CHER...

À MON...

DIS... DIS-LE...

J'AI ENCORE ÉCHOUÉ.

J'AI...

OUI, BIEN SÛR.

ET IL Y A DES DIFFÉRENCES ENTRE CHACUN DE NOUS.

QUOI ?! VOUS AVEZ DES SOUVENIRS DU TEMPS OÙ VOUS ÉTIEZ HUMAINS ?!

PAS QUE JE SACHE.

C'EST CERTAINEMENT DES RÉMINISCENCES DE SA MÉMOIRE D'HOMME.

IL S'EST PASSÉ QUELQUE CHOSE AVANT CELA ?

ENCORE ?

JE SUIS INCAPABLE...

DE PROTÉGER QUELQU'UN !!

SINON, COMMENT POURRIONS-NOUS ÊTRE CAPABLES DE PARLER AUSSI BIEN ?

NOTRE CARACTÈRE EST ASSEZ INFLUENCÉ PAR NOTRE "VIE ANTÉRIEURE". CERTAINS SE SOUVIENNENT MÊME DE LEUR NOM.

...

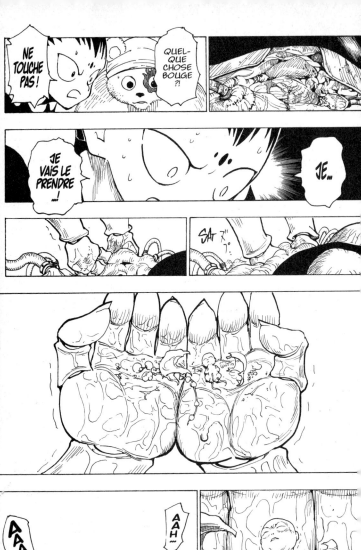

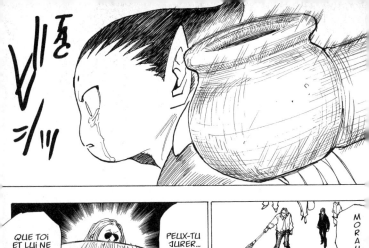

QUE TOI ET LUI NE MANGEREZ PLUS D'HOMMES ?

PEUX-TU JURER...

MORAU...?

KORUTO.

MAIS...

SI TU PEUX LE JURER...

ALORS DISPARAISSEZ TOUS LES DEUX D'ICI, ET QUE JE NE VOUS REVOIE JAMAIS.

SI T... NE PE... PAS JUR...

AUX ATTENTIONS DE MON MAÎTRE !

JE SUIS TOUJOURS TRÈS SENSIBLE...

GRUUUUH !!!!

Y EST, EST SSE !!

PFF ふんぬ!!

BON !!

FALT UE JE VIENNE S FORT !

MAINTENANT QUE JE SAIS QUE KNUCKLE ET LES AUTRES VONT SAUVER KAITO...

CRIT

CRII

JE NE VEUX PAS QUE KAITO SOIT DÉÇU LORSQU'IL REVIENDRA.

JE M'ÉTAIS DIT QUE SI APRÈS AVOIR PASSÉ CETTE MONTAGNE TU PLEURNICHAIS ENCORE, JE TE JETTERAIS DEHORS.

JE VOIS QUE TU COMPRENDS LA SITUATION.

TRÈS BIEN...

PARCE QUE JE ME DISAIS QUE KAITO N'AVAIT PROBABLEMENT PAS ENVIE DE VOUS VOIR TELS QUE VOUS ÊTES LÀ.

FLAP

NOUS L'AVONS PLUS CÔTOYÉ QUE TOI.

TU CONNAIS KAITO DEPUIS LONGTEMPS MAIS...

CE QU'IL ATTEND DE VOUS, CE NE SONT PAS DES REGRETS OU DES EXCUSES !!

JE SUIS SÛRE QU'IL EST EN VIE.

POUR L'ASSUMER !

ET ENSUITE FAIRE PREUVE D'UNE VOLONTÉ SUFFISANTE...

TOUT D'ABORD, LE BON CHOIX...

CE QUE VOUS DEVEZ FAIRE MAINTENANT ?

C'EST VRAI !

OUI !!

SI TU ES FAIBLE, ALORS ENTRAINE-TOI ENCORE.

NE SERAIT-CE QU'ICI, TU PEUX FAIRE DES EXERCICES MUSCULAIRES PAR EXEMPLE.

C'EST UNE SCÈNE INOUBLIABLE POUR NOUS, NOTRE PLUS ANCIEN SOUVENIR.

DES MILLIERS D'OISEAUX, DES CYGNES DE LA DÉCLARATION QUI S'ENVOLENT AU SOLEIL LEVANT.

"JE VOUS ENVIE".

KAITO N'A EU QU'UN SEUL MOT.

À QUEL POINT CETTE TERRE ÉTAIT IMPORTANTE À NOS YEUX.

IL A FALLU QUE CET ENDROIT SOIT DÉSIGNÉ COMME DÉCHARGE POUR QUE L'ON COMPRENNE..

IL NE SAIT PAS OÙ IL EST NÉ.

PARCE QUE LUI N'A PAS DE TERRE NATALE.

JE VOUS MON-TRERAI...

SI L'ON TERMINE CETTE MISSION INDEMNES...

MON TRÉSOR.

LE ROI EST ARRIVÉ EN RÉPUBLIQUE DU GORÜTO EST...

PFF!

OUI, ON DIRAIT BIEN.

ILS SONT DÉGUI-SÉS ?

QU'EST-CE QUE C'EST QUE ÇA ?!

!?

SINON...

NE VO... APPROC... PAS...

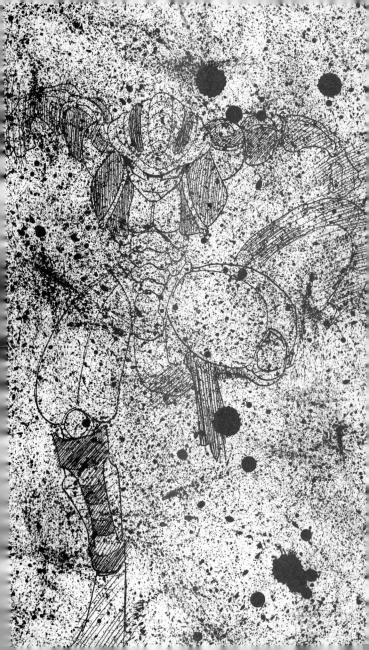

C'EST DE LA NOURRITURE RARE.

CELA AIGUISE MON APPÉTIT !

FIUUUU ヒュォ オ オ オ

GO-GO
ゴ゙
ゴ GO
ゴ
GO

MAIS C'EST...

PLUS JE SUIS FORT !!

PLUS JE MANGE...

N°217 – LE JARDIN DES VIANDES

QUI ÊTES-VOUS ?!

MAIS QUE FAIT LE SERVICE DE SURVEILLANCE ?!

C'EST DE PÂMU QUE JE DOIS PROTÉGER GON...

AVANT DE PENSER À NOS ENNEMIS...

ZAT

ド゛ク・・・

CLIC

?!

TAC

TOUT ÇA, C'EST DE VOTRE FAUTE.

ET JE VOUS AVAIS DIT AUSSI QUE SI VOUS ME MENTIEZ, VOUS LE REGRET- TERIEZ, NON ?

JE VOUS L'AVAIS DIT : JE VEUX QUE VOUS M'EMMENIEZ À NGL...!

D'UN AUTRE CÔTÉ, ÇA NE SERVIRA PAS À GRAND-CHOSE DE NOUS FAIRE FRAPPER À MORT.

JE N'AI PAS DIT ÇA POUR QUE TU T'EXCUSES. ENFIN...

PARDON.

OUI.

HUM... LAISSE- MOI RÉFLÉ- CHIR...

QUE POUVONS- NOUS FAIRE DANS CE CAS ?

BON...

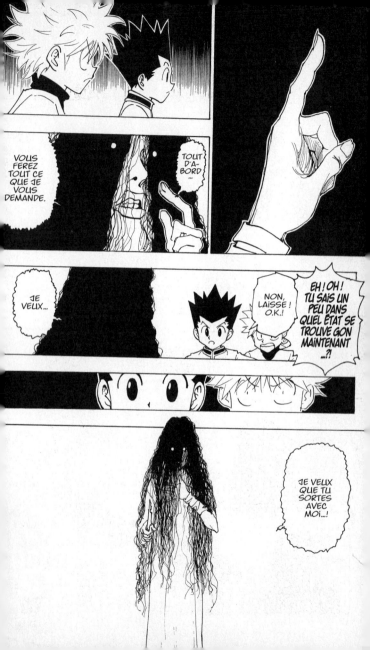

D'AC-CORD.

QUE...

ET MOI...

SHUU

ENTRE LUI...

DE TOUTE FAÇON, J'AI DIT QUE J'ACCEPTAIS.

OUI.

GON ! EST-CE QUE TU COMPRENDS BIEN CE QUE ÇA VEUT DIRE ?!

ET ALORS ? C'EST ENTRE LUI ET MOI, NON ?

NE ME DIS PAS QUE CETTE MANIÈRE DE FAIRE TE CONVIENT ??

?

HI ! HI ! HI !

HI HI

IL Y A UN ENDROIT OÙ J'AI ENVIE D'ALLER TOUT DE SUITE.

QUOI QU'IL EN SOIT, JE NE VEUX PLUS T'ENTENDRE. NOUS, NOUS ALLONS SORTIR.

TU VEUX BIEN ARRÊTER D'INTERVENIR ? JE VIENS DE TE DIRE QUE C'ÉTAIT NOTRE PROBLÈME À NOUS.

GON, TU FERAIS MIEUX DE NE PAS PRENDRE CE QU'ELLE DIT AU SÉRIEUX.

HEIN ?

AH ! DÉSOLÉ ! AUJOURD'HUI, CE N'EST PAS POSSIBLE !!!

OH ! JE SENS QUE CETTE FORMULATION TE PLAIT, HEIN ?

AH, PARDON !!

SI TU ME L'AVAIS DIT PLUS TÔT, JE NE ME SERAIS PAS ÉNERVÉE COMME ÇA.

SI C'EST ÇA, JE PEUX COMPRENDRE...

AH...

ZAT ZAT ZAT ざわ ざわ ざわ

PFF... TOI, ALORS...!

MAIS NE M'EN DEMANDE PAS PLUS J'AI ENVIE QUE CE SOIT UNE SURPRISE

OUI, D'ACCORD.

ALORS ON SE RETROUV DEMAIN A 10H DEVAN LE PANNE D'AFFICHA O.K. ?

HEIN ? POURQUOI ?

GON... TU ES INCROYABLE.

QUOI ?

DIS-MOI UN TRUC...

•••

TU AVAIS L'AIR VRAIMENT À L'AISE.

BEN... TA DISCUSS AVEC PAM

AH BON ?

TU AS DÉJÀ EU DES RENDEZVOUS AMOUREUX, NON ?

IL VA BIEN ?!

C'EST VRAI ?!

ON A TROUVÉ KAITO ET ON L'A RÉCUPÉRÉ.

C'EST KNUCKLE.

ALLÔ?

...

!!

DONC ON NE PEUT PAS VRAIMENT DIRE QU'IL AILLE BIEN, EN FAIT.

PROBABLEMENT... MAIS IL SEMBLE QU'IL SOIT MANIPULÉ PAR L'ENNEMI.

ILS ONT FONDÉ DE PETITS ROYAUMES COMME LE ROI, ICI ET LÀ.

IL VA NOUS FALLOIR ENVIRON 3 JOURS POUR ARRIVER JUSQU'À VOUS. D'ICI LÀ, FAITES BIEN ATTENTION DE NE PAS TOMBER SUR DES SOLDATS ANTS.

ENTENDU.

BIEN...!!

PAS D'INQUIÉTUDE ! JE SUIS SÛR QU'IL EXISTE UN MOYEN DE LE FAIRE REDEVENIR LUI-MÊME !!

J'AI TROUVÉ !!!

COMME ÇA, OUI, C'EST POSSIBLE...

TU ES SÛR ? SI TU LUI DONNES COMME ÇA, ELLE RISQUE DE TE FRAPPER...

HEIN ?

C'EST UN CADEAU POUR PÂMU.

QU'EST-CE QUE TU VAS FAIRE AVEC ÇA ?

OUI.

BON, ENFIN, QUOI QU'IL EN SOIT, RETOURNONS EN VILLE.

IL Y EN A AUSSI QUI VIENNENT EN VILLE POUR CHASSER "L'HOMME" ET DE CE POINT DE VUE, CE N'EST PAS PLUS RASSURANT. MAIS AU MOINS, EN VILLE, ON PEUT TROUVER LE MOYEN DE LEUR ÉCHAPPER PENDANT QU'ELLES S'OCCUPENT DE BOUFFER D'AUTRES PERSONNES.

SI ON TOMBAIT FACE À UNE FOURMI GUERRIÈRE DANS CE COIN PERDU EN PLEINE MONTAGNE CE SERAIT MAUVAIS POUR NOUS.

MIAM!!

CE N'EST PAS MOTIVANT.

QUELLE BANDE D'IMBÉCILES.

D'APRÈS LES DÉCLARATIONS DE LA POLICE, LA BÊTE SE DÉPLACERAIT À UNE VITESSE SUPÉRIEURE À 200 KM ET AURAIT DIT : "JE REVIENDRAI DEMAIN, J'AMÈNERAI DES AMIS ENCORE PLUS RAPIDES". LA PROBABILITÉ QU'IL S'AGISSE D'UNE BÊTE DANGEREUSE ISSUE D'UNE NOUVELLE ESPÈCE SE CONFIRMANT, LA POPULATION DES ALENTOURS A ÉTÉ ÉVACUÉE.

AUJOURD'HUI, VERS MIDI, DANS LA BANLIEUE DE PATA, SEPT PERSONNES ONT ÉTÉ TUÉES PAR UN MYSTÉRIEUX ÊTRE VIVANT. PARMI LES MEMBRES DE LA POLICE QUI SONT ARRIVÉS SUR LES LIEUX, PLUSIEURS ONT ÉTÉ SÉRIEUSEMENT BLESSÉS, AVANT QUE LA BÊTE NE S'ENFUIE VERS LE MONT MIERA.

LE GOUVERNEMENT AURAIT FAIT PARVENIR UNE DEMANDE DE CAPTURE AU COMITÉ DES HUNTERS QUI L'AURAIT ACCEPTÉE.

PATA... LE MONT MIERA...

BIP

JE VAIS FINIR PAR PASSER POUR UN STALKER*.

MERDE ! QU'EST-CE QUE JE FOUS LÀ, MOI ?!

L'ENNEMI PEUT ATTAQUER N'IMPORTE OÙ, N'IMPORTE QUAND.

NON, CE N'EST PAS LE MOMENT DE FLANCHER.

JE DOIS PROTÉGER GON !

* DÉSIGNATION EN ANGLAIS DES PERSONNES QUI EN SUIVENT D'AUTRES PAR VICE.

LE FAIT QU'ILS LE SACHENT NE CHANGERA ABSOLUMENT RIEN.

ON EST ARRIVÉS !

AVEC L'AFFAIRE DE KAITO ET LA COLÈRE QU'IL A EN LUI, S'IL L'OUBLIAIT ET QU'IL ÉTAIT PRIS EN CHASSE, CE SERAIT LA FIN !!

GON N... PEUT P... SE SER... DE SO... NEN...

PRENDS CE TABOURET.

AVEC LE CALME QU'IL Y A ICI, SI ELLE SE METTAIT À CRIER, LES FOURMIS DES ALENTOURS RAPPLIQUERAIENT ICI ILLICO...!!

PÂMU N... PENSE... QU'À SO... RENDEZ-V... AMOURE... ET CE N'... VRAIMENT... LE MOME... DE LA... DÉRAN...

MERCI !! ♡ HI ! HI !

JE NE PEUX PAS LEUR DIRE !!!!

!!

C'EST... MAGNI- FIQUE.

TOUT SEUL !!!

JE DOIS RÉGLER ÇA...

 LA SÈVE DE CETTE PLANTE EST EXACTEMENT COMME LES PHÉROMONES DES LUCIOLES ET C'EST POUR ÇA QU'ELLES VIENNENT DESSUS.

 ...

C'EST VRAI ? MERCI... JE SUIS TRÈS CON- TEN- TE...

CE QUE JE VEUX VRAIMENT ...? ?! EN FAIT, JE NE PEUX PAS TE DONNER CE QUE TU VEUX VRAIMENT. MAIS...

 DU TEMPS À PASSER ENSEMBLE, TOI ET MOI...

ET POUR CELA, J'AI BESOIN DE M'ENTRAÎNER ENCORE PLUS. JE VEUX DEVENIR PLUS FORT...!! JE VEUX BATTRE LES KIMERAS ANTS !

N°219 - ÉVEIL

ÇA SENTAIT L'HUMAIN ET J'AI SUIVI LA PISTE. ET REGARDEZ SUR QUI JE TOMBE...

OOH...

TU ES LE PETIT GAMIN DE LA DERNIÈRE FOIS...

JE ME RAPPELLE DE TOI.

124

ILS NE SONT PLUS LÀ...!? LEURS AFFAIRES SONT POURTANT ICI...

ILS N'AURAIENT QUAND MÊME PAS ÉTÉ ATTAQUÉS PAR UNE AUTRE FOURMI...?!

ZA HII HII HII HII HII
ZA ZA ZA ZA ZA ZA

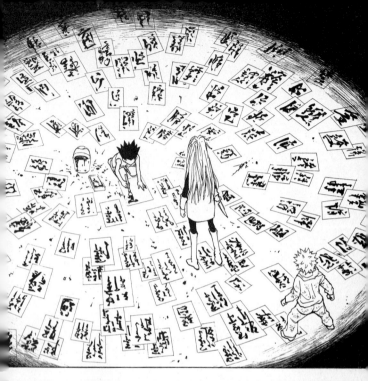

UNE
NITION
R AVOIR
ISSE
MES
MENTS
!!!

ÇA NE SE
VOIT PAS ?
IL A ÉTÉ
PUNI.

HEIN ?

QU'EST-CE
QUE TU
FAIS ?

OUI, C'EST ÇA ! ATTRAPE-MOI SI TU PEUX !!

ZAT ZAT

JE VAIS VOUS TUER !!!

ZAT ZAT

ATTENDE !!!

ZAT

ZAT

ON VA APPELER KNUCKLE ET LUI DIRE DE TROUVER UN AUTRE ENDROIT POUR LES RETROUVAILLES AVEC KAITO.

JE TE PRÉVIENS, JE N'AI PAS L'INTENTION DE LA REVOIR !

HEIN ?

ELLE SERA ENCORE PLUS ÉNERVÉE APRÈS.

TU N'AURAIS PAS DÛ FAIRE ÇA KIRUA.

MÊME S'IL NE S'AGIT PAS D'UNE COMBATTANTE, CE N'EST PAS UNE RAISON POUR TE RELÂCHER ! ELLE PEUT TE POIGNARDER DANS LE DOS !

TU AS DÉJÀ OUBLIÉ ? TU NE PEUX PAS TE SERVIR DE TON NEN, GON.

HEIN ? TU VEUX MOURIR OU QUOI ?

POSE-M JE VAIS RETOU NER

TU AS POURTANT VU CE QU'ELLE A ESSAYÉ DE ME FAIRE TOUT À L'HEURE, NON ? CETTE FILLE EST TERRIBLE !

QUOI ?

HA ! HA ! HA ! MAIS NON, ENFIN !

OÙ SONT LES DEUX GAMINS ?

MAÎTRE NOV...!!

ON NE CHANGE RIEN.

IL ÉTAIT PRÉVU QU'ON NE LES RETROUVE QU'APRÈS-DEMAIN...

ICI NOV. ILS SONT À L'HÔTEL "TROIS RONDS".

EUH... I SONT L'HÔTE CELUI C À UN ENSEIGN AVEC TR RONDS

ASSURONS-NOUS QU'ILS POURRONT SUPPORTER DE REVOIR KAITO DANS L'ÉTAT OÙ IL SE TROUVE MAINTENANT.

PROFITONS DU TEMPS GAGNÉ POUR LES OBSERVER UN PEU.

OUI. ILS VIENNENT JUSTE DE M'APPELER.

...

TU AS FAIT USAGE DE TES FACULTÉS SANS MON AUTO-RISATION, N'EST-CE PAS ?

EUH... OUI !

PÂMU !!

MAIS AVANT CELA...

OUI...

JE T'AVAIS POURTANT BIEN EXPLIQUÉ : TU TE TIENS PRÊTE POUR LES IMPRÉVUS ET TU ATTENDS MES ORDRES...

144

IL EST RAPIDE !!

MAIS PAS TANT QUE ÇA...

VOUS ÊTES UN PEU PLUS HABILES QUE CEUX D'HIER...

OBSERVATEUR

ÉTON-
NANT !

MON
VISAGE
!!

IL A
DONNE
SON COUP
EN VISANT
AVEC
PRÉCISION...

UN
COUP
DE
CHANCE
?!

ALORS
QUE TOUT
À L'HEURE
IL SE
MONTRAIT
INCAPABLE
DE SUIVRE
DU REGARD
MES
MOU-
VEMENTS.

PEUT-ÊTRE AVEC NOTRE CONNAIS-SANCE ET NOTRE EXPÉRIENCE.

!

EN UN RIEN DE TEMPS, NOUS VOILÀ ENTOURÉS DE FUMÉE...

NON... ILS SONT EUX AUSSI À L'INTÉRIEUR...

DU POISON ? OU DE L'HYP-NOSE ?

EST-CE DU GA...

IL VA ÊTRE TRÈS FACILE DE TE COLLER UNE RACLÉE.

CETTE FOIS, C'EST LA COLÈRE QUI T'AVEUGLE.

ÊTRE RAPIDE NE SUFFIT PAS.

ALORS C'EST ÇA LE NEN...

MER... ENC... L...

JE N'ARRIVE PAS À LE SEMER...

DE LA VITESSE !!!

JE DOIS ACQUÉRIR QUELQUE CHOSE E... PLUS...

165

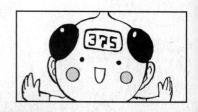

CRAT

CRAT

LORSQUE L'ON S'APPROCHE DE LUI, IL ATTAQUE DE MANIÈRE MÉCANIQUE.

IL A DÛ ÊTRE UTILISÉ POUR L'ENTRAÎNEMENT DES FOURMIS GUERRIÈRES.

ÇA VA ALLER.

KAÏTO.

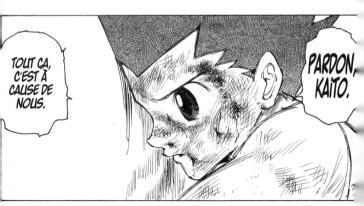

TOUT ÇA, C'EST À CAUSE DE NOUS.

PARDON, KAÏTO.

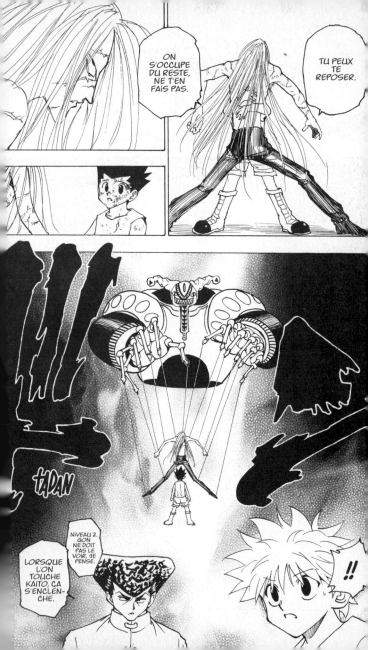

ATTENDS ENCORE UN PEU.

KAITO.

JE REVIENDRAI TRÈS BIENTÔT.

KIRUA.

JE ME CHARGERAI DE LUI...

TOUT SEUL.

 QU'AVEZ-VOUS FAIT PENDANT CE COURT LAPS DE TEMPS...?

 TOUS LES DEUX...

 QUELQUE CHOSE A CHANGÉ... JE L'AI RESSENTI QUAND JE T'AI VU, TOI, MAIS...

 KIRUA.

 NOUS, RIEN DE PARTI-CULIER...

OUI...

MAIS NOTRE ENNEMI, LUI...

TU ES SÛR DE VRAIMENT VOULOIR LES EMMENER AVEC NOUS TOUS LES DEUX ?

OR, LÀ, C'EST DANS LA RÉPUBLIQUE DU GORUTÔ EST QUE NOUS ALLONS.

IL N'Y A PAS DE SOUCI. L'ÉPREUVE QU'ILS ONT SUBIE AVAIT POUR BUT DE DÉCIDER S'ILS VENAIENT À NGL OU PAS.

TU BRISES LA PROMESSE QUE L'ON A FAITE AU VIEUX, TU SAIS.

BON, DANS CE CAS, ON RENONCE À LES PRENDRE AVEC NOUS ?

TON EXPLICATION A DES ALLURES DE PRÉTEXTE, TU SAIS...

ILS SERONT AU MOINS CAPABLES DE RÉGLER LES AFFAIRES COURANTES.

CE SONT DÉJÀ DE VALEU- REUX TIGRES.

NON.

IL Y A QUAND MÊME UNE GRANDE INÉGALITÉ DANS SES FACULTÉS ELLES-MÊMES.

MÊME PENDANT L'ENTRAÎNEMENT, C'EST UNE ÉVIDENCE : IL MANQUE DE CONCENTRATION.

C'EST VRAI QUE LA PREMIÈRE FOIS, SES MOUVEMENTS ET SON ÉNERGIE M'ONT SURPRIS MAIS...

OUI, POUR KIRUA, D'ACCORD, MAIS GON...

TOC TAC

DEPUIS, JE NE RESSENS PLUS D'ARDEUR CHEZ LUI.

IL NE DÉVELOPPE SA VÉRITABLE FORCE QUE LORSQUE C'EST UN VRAI COMBAT.

UNE INÉGALITÉ, OUI, MAIS FONDÉE SUR UNE RÈGLE PRÉCISE.

UN RES-SORT ?

JE PENSE QUE L'ABSENCE D'ENVIE QUE L'ON A RESSENTIE CHEZ LUI CES QUELQUES SEMAINES EST AU CONTRAIRE UNE SORTE DE RESSORT.

TAC

GON RETROUVE SON NEN DEMAIN...

EN-FIN...

ON SERA VITE FIXÉS.

ET IL LÂCHERA TOUT LORSQU'IL SERA FACE À CET ENNEMI QU'IL HAIT.

SHAT

IL EMMA-GASINE DE LA FORCE, PETIT À PETIT.

ET L'ENNEMI EST DEVANT NOUS.

N°223 - 10 - 0

SI PAR EXEMPLE, IL Y AVAIT UNE ANNONCE OFFICIELLE DE PASSATION DE POUVOIR ET DE PRÉSENTATION DES NOUVELLES INSTANCES DIRIGEANTES, TOUT CELA OBÉIRAIT À UNE CERTAINE LOGIQUE.

EH BIEN...

PAR EXEMPLE ? POUR QUEL GENRE DE RAISON ?

IL FAUT SE RENDRE À L'ÉVIDENCE : CETTE FOIS, IL EXISTE UN AUTRE OBJECTIF.

TOUS LES TRANSPORTS EN COMMUN SERONT GRATUITS ET ÇA AUSSI, C'EST SANS PRÉCÉDENT.

IL N'EST PAS NON PLUS IMPOSSIBLE QUE TOUT CELA NE VISE QU'À DÉTOURNER NOTRE REGARD DE "QUELQUE CHOSE".

NÉANMOINS, IL PARAÎT DIFFICILEMENT ENVISAGEABLE QUE DIIGO CÈDE SA PLACE DE LUI-MÊME.

PASSONS À LA SUITE DES INFOR-MATIONS.

QUOI QU'IL EN SOIT, DANS 10 JOURS, TOUS LES REGARDS SERONT TOURNÉS VERS LA RÉPUBLIQUE DU GORUTÔ EST.

APPAREMMENT, ILS SAVENT COMMENT PROVOQUER LE RÉVEIL FORCÉ DU NEN CHEZ QUELQU'UN.

KORUTO PENSE QUE C'EST LÀ QUE SERA FAIT LE GRAND TRI DE LA POPULATION.

NOUS N'AVONS QUE 10 JOURS...!!

IL FAUT DONC LES ARRÊTER AVANT CELA.

99% DES HUMAINS VONT PERDRE LA VIE DANS CETTE SÉLECTION.

JE NE SAIS PAS CE QU'ILS VEULENT FAIRE DE CEUX QUI SE SONT "ÉVEILLÉS" MAIS...

ON A REÇU UN MAIL NOUS DISANT QU'IL S'ÉTAIT DÉJÀ INFILTRÉ AU GORUTÔ MAIS...

À PROPOS, LE VIEUX EST AU COURANT ?

IL AVAIT DIT QUE C'EST CE QU'IL FAUDRAIT CONCLURE SI NOUS N'AVIONS PAS D'AUTRES NOUVELLES DE LUI DANS LA JOURNÉE.

LORS DE NOTRE DERNIER CONTACT...

TU VEUX DIRE QU'IL S'EST PEUT-ÊTRE DÉJÀ FAIT TUER ?

DEPUIS, ON N'ARRIVE PLUS À LE JOINDRE.

190

SI JAMAIS TU N'ES PAS CAPABLE DE PORTER UN COUP VALABLE, J'APPELLE TOUT DE SUITE UN AUTRE HUNTER POUR TE REMPLACER.

ATTAQUE-MOI EN IMAGINANT QUE JE SUIS CELUI QUI MANIPULE KAITO.

VAS-Y, GON ! MONTRE-LUI TON "JAJANKEN" !

MON MAÎTRE EST TOUJOURS AUSSI FILOU. ALORS QU'IL EST CONVAINCU DEPUIS LONGTEMPS...

RETIENS TON COUP NE SERAIT-CE QU'UN PEU ET TU PEUX RENTRER CHEZ TOI !!

ET COMMENT !!

SLAT

JE PEUX Y ALLER POUR DE BON ?

ZIT

ENTENDU.

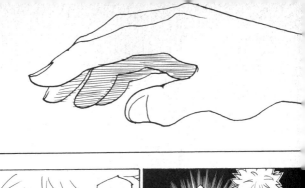

JE CROIS QUE ÇA SUFFIT.

GON.

TAC

MORAU ?

N'EST-CE PAS...

JE SUIS DÉSOLÉ, MORAU !

MERCI, KIRUA !!

OUI.

AH

Tome 21 - RETROUVAILLES (FIN)
Le tome 22 paraîtra en juin 2006

Participez à l'aventure de Hunter X Hunter et envoyez-nous vos plus beaux dessins, nous les publierons ici et sur le site Internet de Kana pour que vous soyez encore plus nombreux à pouvoir admirer le talent de chacun.

KIRUA

GON

Arthur Chambrin
13 ans - Landerneau

Jehan Verdier
17 ans - Ronchamp